Mi cuerpo y yo

Artes de México, 2005.
Primera edición en español.

Título en francés: *Mon corps et moi.*
© 2003, Éditions du Rouergue,
Parc Saint-Joseph BP 3522,
12035, RODEZ cedex 9, Francia.

Edición: Margarita de Orellana.
Coordinación editorial: Gabriela Olmos.
Diseño: Estudio gráfico de Éditions du Rouergue.

© Del texto, Jorge Luján.
© De las ilustraciones, Isol.

Artes de México y del Mundo S.A. de C.V.
Córdoba 69,
Col. Roma.
06700, México, D.F.
Teléfonos: 5525 5905, 5525 4036.
artesdemexico@artesdemexico.com

ISBN: 970-683-088-X

Mi cuerpo y yo

un poema de Jorge Luján

dibujado por Isol

LA COLECCIÓN JOVEN DE ARTES DE MÉXICO

Libros del Alba

Para Gustavo y Marité, por los sueños compartidos. **Jorge**
Para mi abuela Gloria. **Isol**

yo soy muy diferente de mi cuerpo

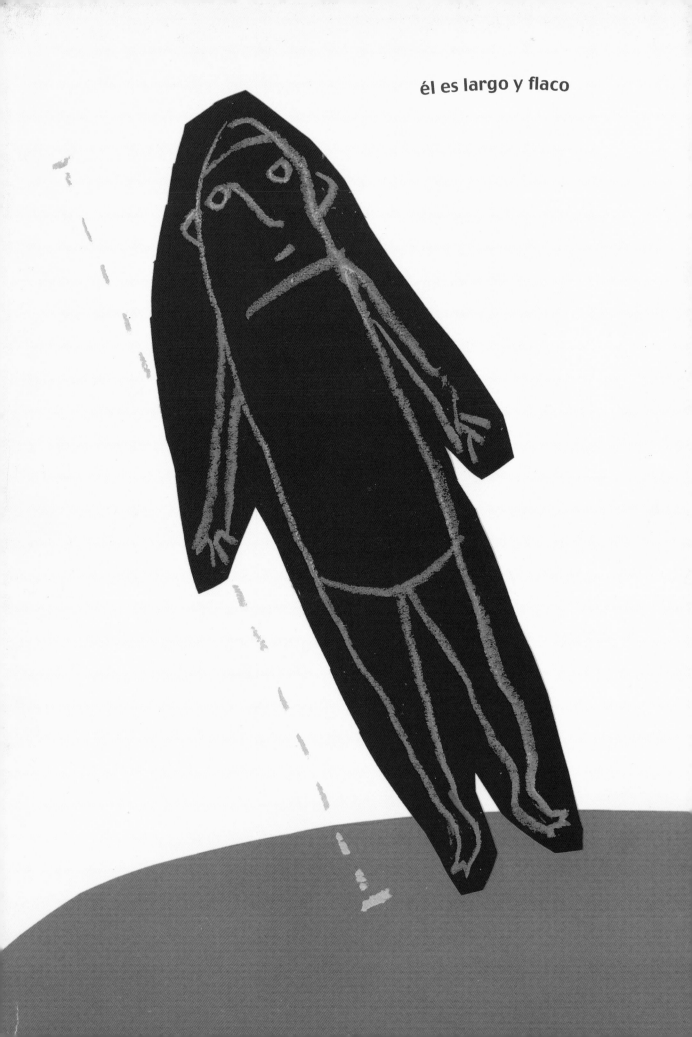

él es largo y flaco

yo de cualquier manera

él camina de frente

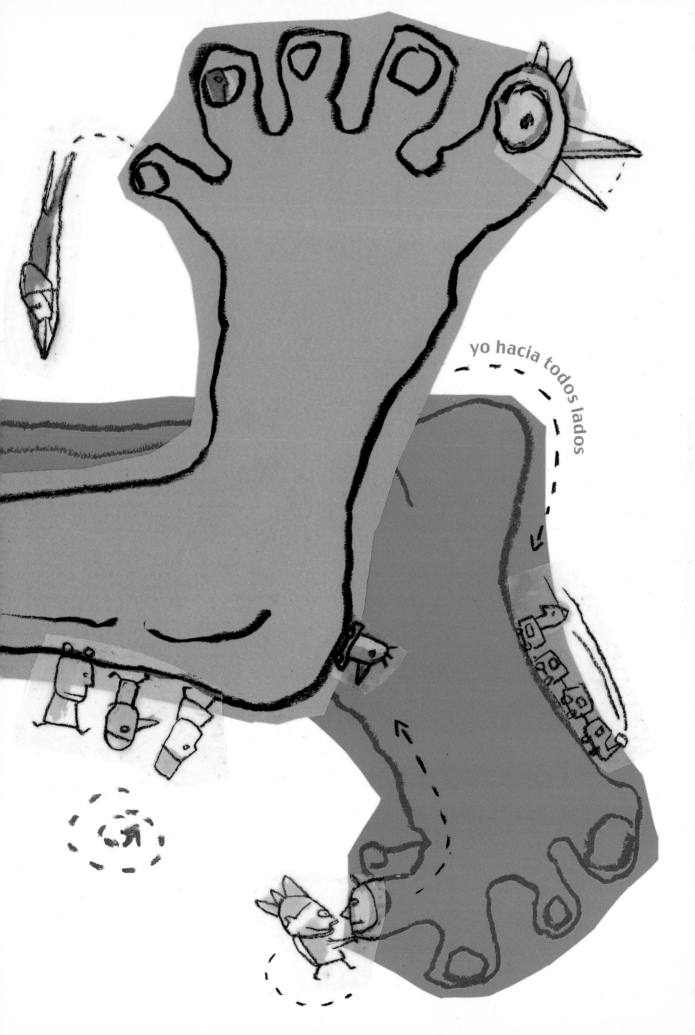

yo hacia todos lados

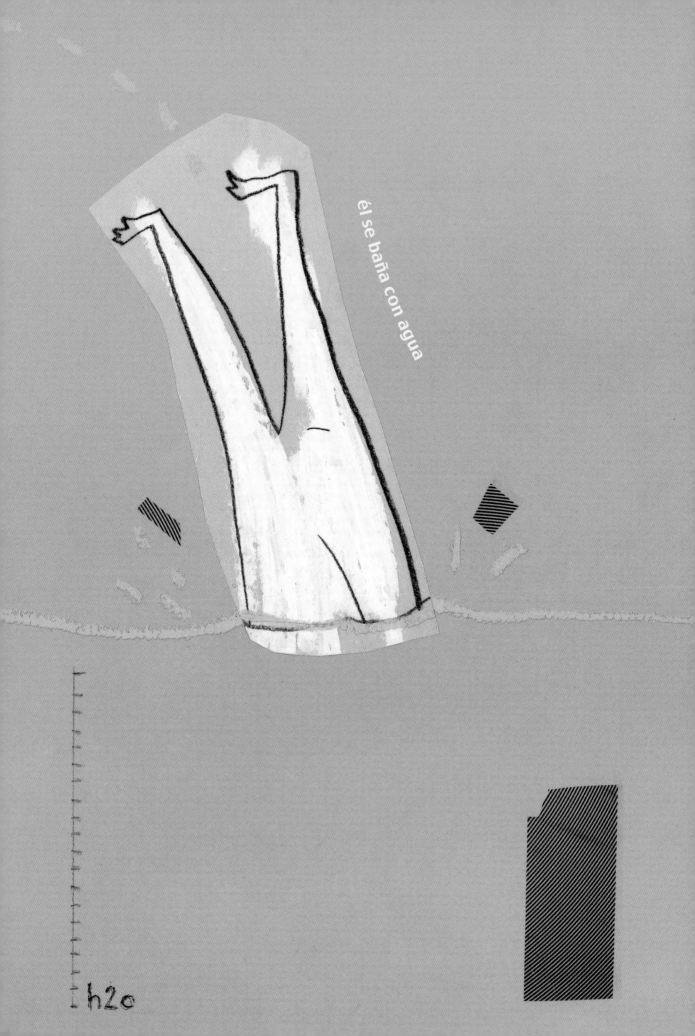

él se baña con agua

h2o

yo me baño con risa

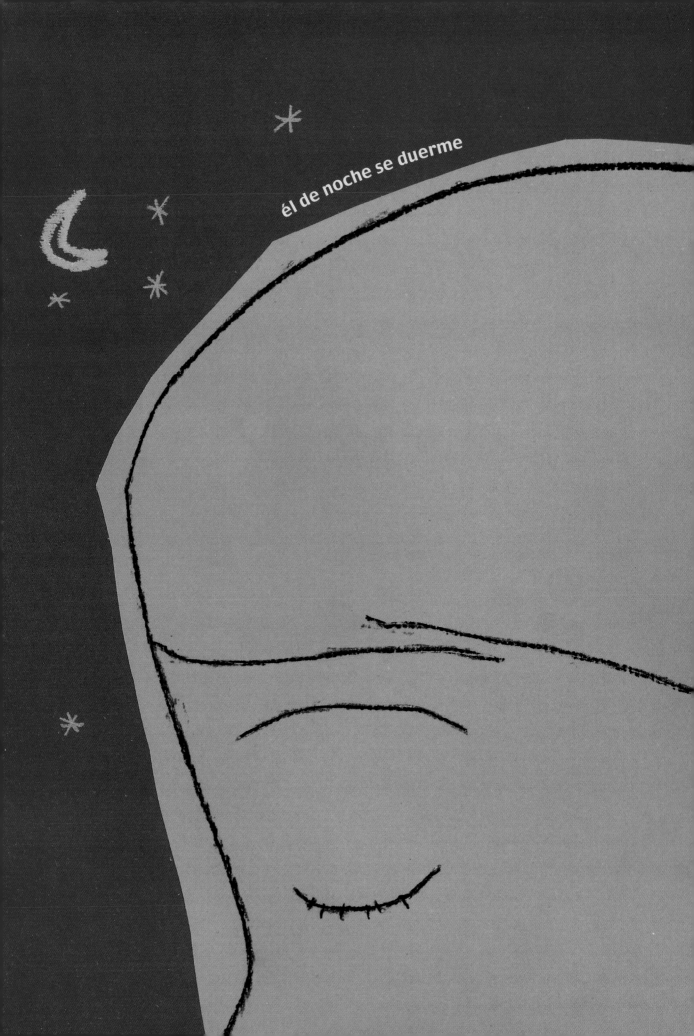

él de noche se duerme

yo me escapo a los sueños

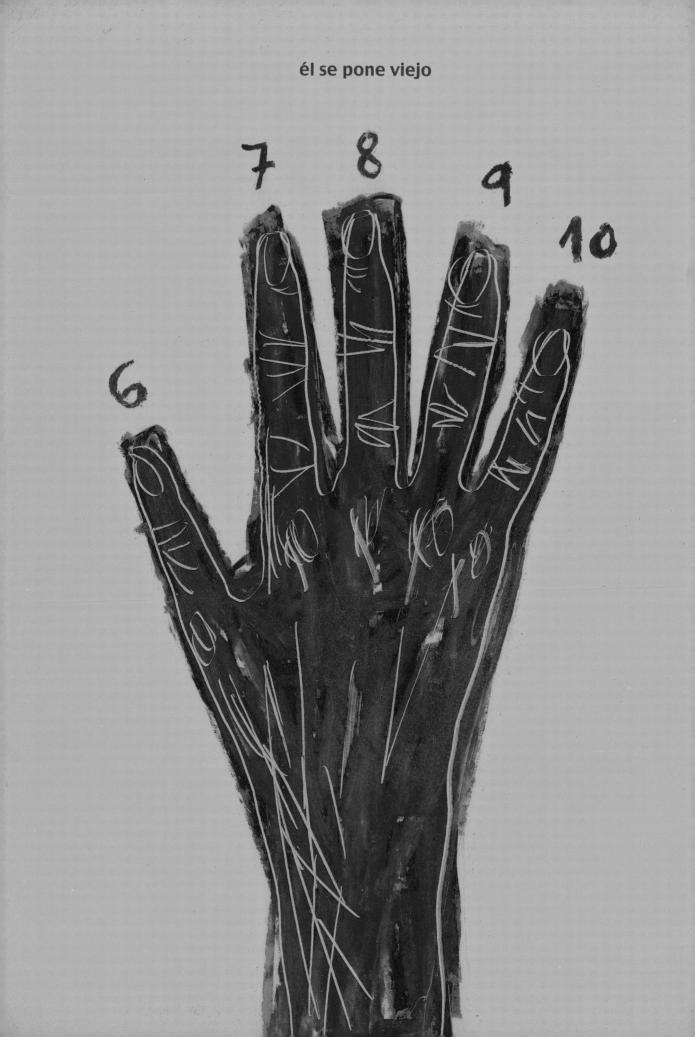

yo no me pongo nada

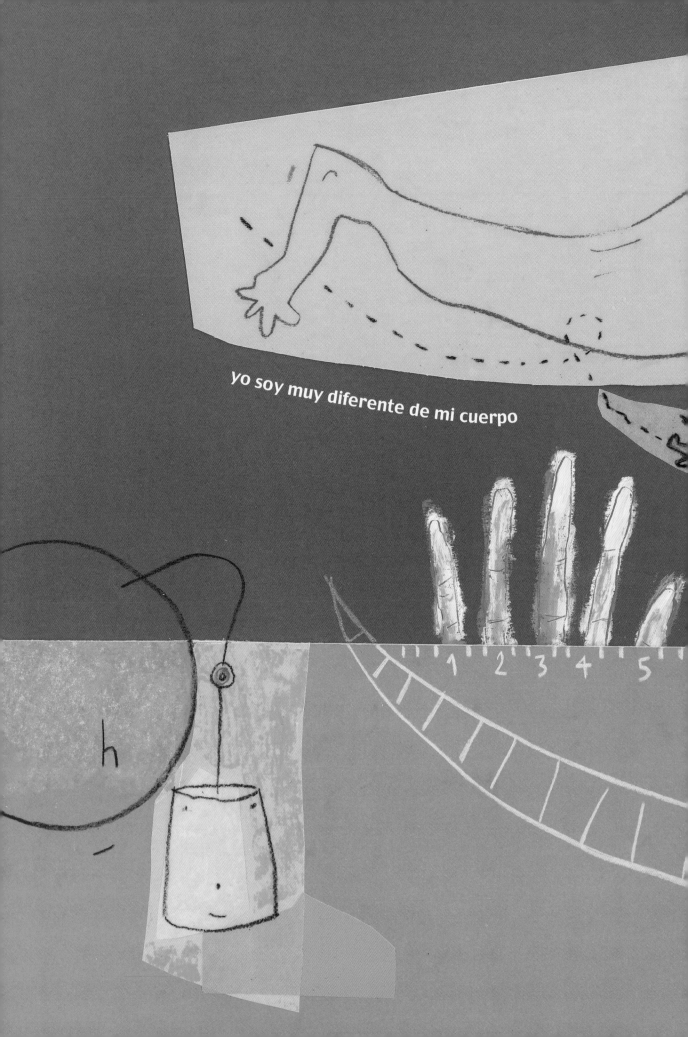

yo soy muy diferente de mi cuerpo

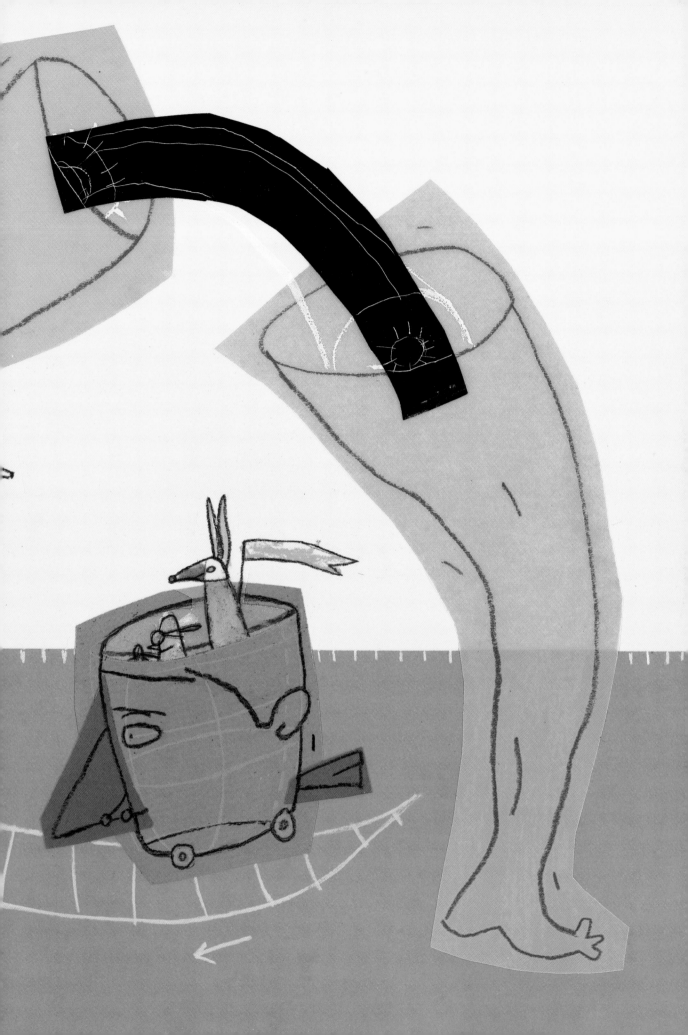

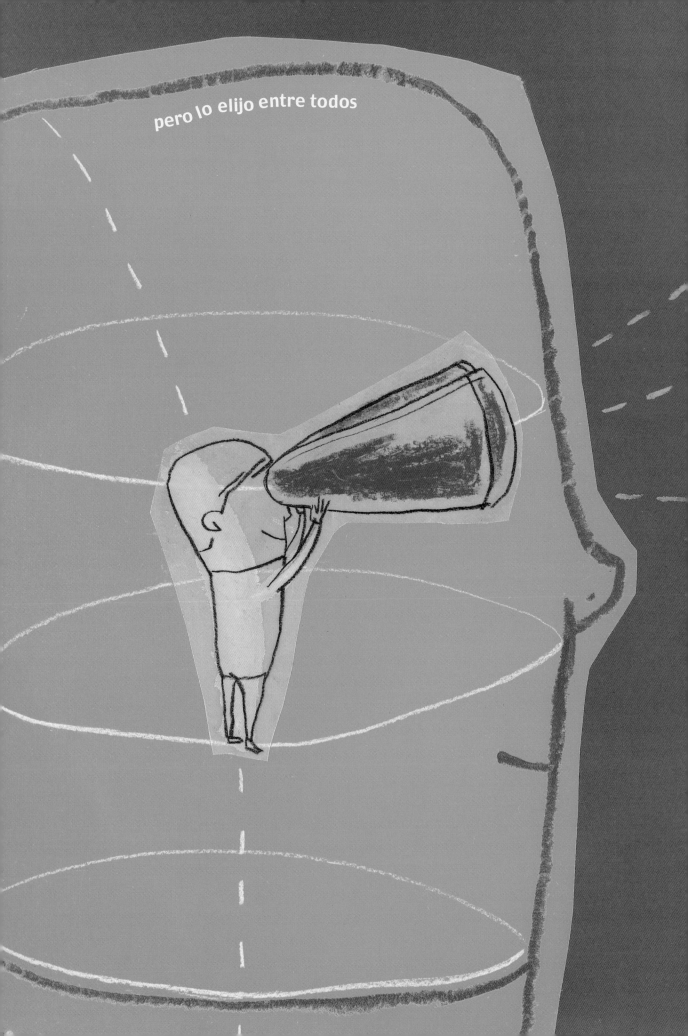

porque me deja
ver por sus ojos

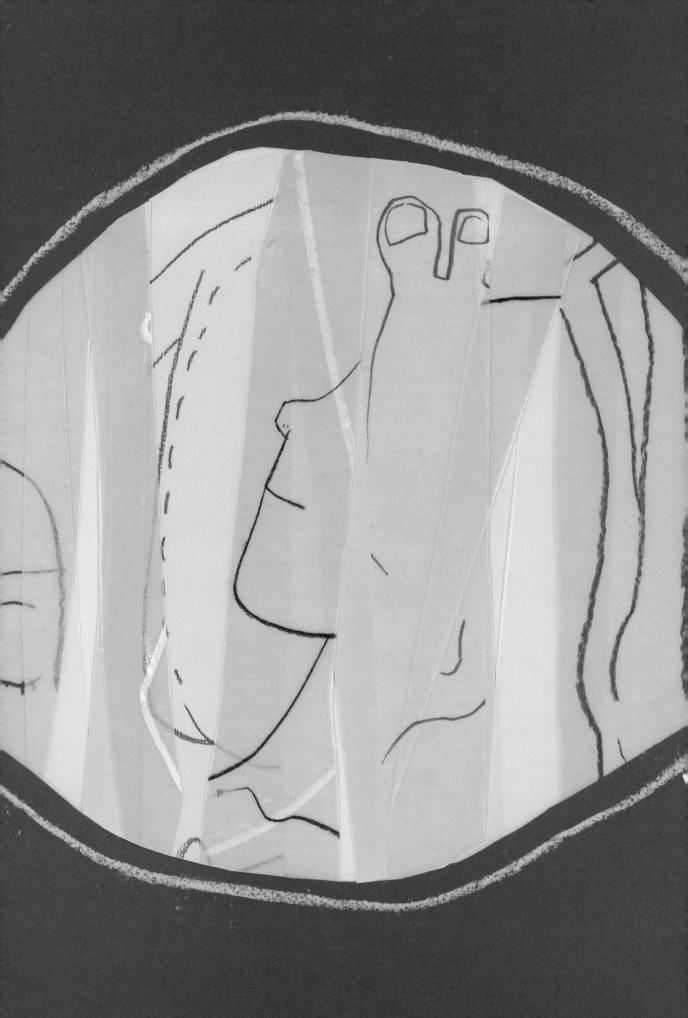

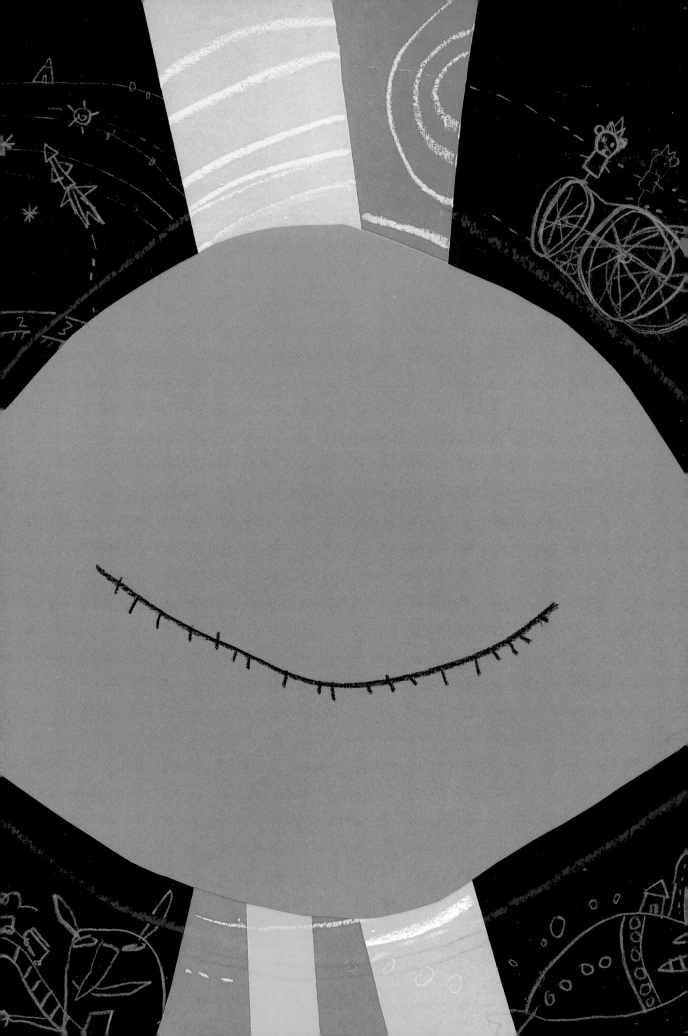